Sut i wneud dymuniad gyda Siriol

DYMUNIAD

Mae'r llyfr hwn yn cynnwys dymuniad arbennig iawn i ti
a dy ffrind gorau.

Gyda'ch gilydd, daliwch y llyfr bob pen,
a chau eich llygaid.

Crychwch eich trwynau a meddwl am rif
sy'n llai na deg.

Agorwch eich llygaid, a sibrwd eich rhifau
i glustiau'ch gilydd.

Adiwch y ddau rif gyda'i gilydd. Dyma'ch

Rhif Hud

ti

dy ffrind gorau

Rhowch eich bys bach ar y sêr,
a dweud eich rhif hud yn uchel,
gyda'ch gilydd. Nawr, gwnewch eich dymuniad
yn dawel i'ch hunan. Ac efallai, un diwrnod,
y daw eich dymuniad yn wir.

Cariad mawr

Siriol
x

I Molly Tattersall
gyda chariad oddi wrth Anti Emma

Felicity Wishes © 2000 Emma Thomson
Trwyddedwyd gan White Lion Publishing

Cyhoeddwyd gyntaf ym Mhrydain yn 2005
gan Hodder Children's Books

Cyhoeddwyd gyntaf yn Gymraeg yn 2010 gan
Wasg Gomer, Llandysul, Ceredigion, SA44 4JL.
www.gomer.co.uk

ISBN 978 1 84851 131 6

Noddwyd gan Lywodraeth Cynulliad Cymru.

Argraffwyd a rhwymwyd yng Nghymru gan
Wasg Gomer, Llandysul, Ceredigion.

CYNNWYS

Gemau Gwych

'Pam wyt ti mor ddigalon?' holodd Poli, wrth sylwi ar wyneb trist Siriol. 'Wyt ti'n drist oherwydd bod sioe'r ysgol wedi dod i ben?'

'Ydw.' Nodiodd Siriol ei phen yn drist.

'A finnau,' meddai Moli, gan eistedd yn benisel wrth ochr Siriol. 'Ro'n i'n dechrau mwynhau cael yr holl sylw.'

Roedd Ysgol y Naw Dymuniad newydd orffen tri diwrnod o berfformiadau o'i sioe flynyddol, lle bu Moli'n disgleirio yn y brif ran.

Aelod o'r corws oedd Siriol, ac er na chafodd hi unrhyw linellau i'w hadrodd, roedd hi wedi mwynhau pob eiliad o'r profiad.

'Bydda i'n gweld eisiau fy ngwisg yn ofnadwy,' meddai Siriol. 'Ro'n i'n teimlo fel seren ynddi, â'r holl secwins a'r gleiniau disglair oedd arni.'

'Wel, roeddet ti *yn* seren!' meddai Moli'n bendant.

Yn yr olygfa olaf, roedd Siriol, Poli, Mali a gweddill y cast wedi'u gwisgo fel sêr, mewn gwisgoedd prydferth, lliw aur. Wrth iddyn nhw hofran o flaen llen o felfed porffor, roedd Moli wedi canu unawd yng nghanol y llwyfan. Roedd y cyfan yn edrych mor hudolus fel bod y dorf wedi curo'u dwylo a gofyn am fwy.

'Tybed gawn ni gyfle i wisgo lan fel 'na eto?' ochneidiodd Siriol.

'Wel,' sibrydodd Poli'n gyffrous, 'mae Brenhines y Tylwyth Teg yn brysur yn cynllunio drama'r flwyddyn nesaf.'

'Y flwyddyn nesaf!' ebychodd Siriol. 'Alla i ddim aros am flwyddyn gron!'

'Wel, alli di ddim dechrau dod i'r ysgol yn gwisgo tlysau a secwins!' meddai Moli, gan ddarllen meddwl ei ffrind.

Gwgodd Siriol.

'Mae gen i syniad!' meddai, gan sboncio ar ei thraed. 'Fe drefna i barti gwisg ffansi! Gallwn ni wisgo beth bynnag rydyn ni eisiau wedyn! A gorau oll os ydyn nhw'n wisgoedd hollol dros-ben-llestri!'

Dechreuodd Moli rwgnach dan ei hanadl. Roedd yn gas ganddi bartïon gwisg ffansi; byddai hi bob amser yn edrych yn hollol hurt, hyd yn oed wrth geisio gwisgo'n smart.

Heb aros i drafod y manylion, hedfanodd Siriol i ffwrdd i rannu'r newyddion cyffrous gyda'i holl ffrindiau.

* * *

Cyn bo hir, roedd pawb yn yr ysgol wedi dechrau siarad am barti gwisg ffansi Siriol.

Arhosodd Siriol ar ei thraed drwy'r nos, yn gwneud gwahoddiadau parti wedi'u haddurno â channoedd o sêr bach disglair.

Aeth â gwahoddiad i bob un o'i ffrindiau, ac roedd llawer iawn o ffrindiau ganddi.

'A bydd cystadleuaeth am y wisg orau!' canodd Siriol, gan roi'r gwahoddiadau olaf i Moli, Poli a Mali.

'Beth yw'r wobr?' gofynnodd Moli'n chwilfrydig.

'Ym . . . ym . . . mae'n gyfrinach!' meddai Siriol. Doedd hi ddim wedi meddwl am wobr eto!

'Mae'r thema braidd yn rhyfedd,' meddai Poli, wrth edrych ar ei gwahoddiad.

'Natur?' meddai Mali. 'Rwy'n credu ei fod e'n syniad hyfryd!' Roedd Mali am fod yn un o Dylwyth Teg y Blodau ar ôl gadael Ysgol y Naw Dymuniad, ac roedd hi'n gwybod yn syth y byddai'n rhaid iddi gael blodau ar ei gwisg i'r parti.

'Mae'n rhaid i chi ddefnyddio'ch dychymyg,' esboniodd Siriol wrth ei ffrindiau. 'Mae natur o'n cwmpas ni i gyd.'

Doedd Moli ddim mor siŵr. Iddi hi, roedd byd natur yn golygu astudio penbyliaid yn y dosbarth, neu ddysgu am y gwahanol fathau o goed yng Nghoedwig y Naw Dymuniad.

Gallai Siriol weld y byddai'n rhaid iddi roi ychydig o help llaw i'w ffrindiau.

'Edrychwch,' meddai, 'mae'n ddydd Sadwrn fory. Beth am i bawb gwrdd yn fy nhŷ i? Wedyn, gallwn ni fynd am dro natur i gael ychydig o syniadau.'

Neidiodd Mali i fyny ac i lawr yn gyffro i gyd, ond roedd Moli'n dal i edrych yn ddrwgdybus. Byddai'n llawer gwell ganddi fynd i Gaffi Seren i gael sbort a rhannu clecs, ond roedd hi'n gwybod pa mor bwysig oedd y parti i Siriol. Felly, er nad oedd hi'n hapus, roedd Moli'n barod i roi cynnig arni, hyd yn oed petai'n rhaid iddi wisgo fel brigyn.

* * *

Yn gynnar fore trannoeth, daeth pawb at ei gilydd yn nhŷ Siriol.

'I ble'r awn ni?' gofynnodd Poli, a oedd bob amser yn hoffi trefnu pethau'n iawn.

'Coedwig y Naw Dymuniad!' awgrymodd Mali.

'Traeth y Tlysau!' meddai Moli.

'Dim un o'r rheiny,' meddai Siriol, mewn llais dirgel. 'Does dim rhaid mynd yn bell iawn i ddod o hyd i fyd natur. Rydyn ni'n mynd i rywle lle cawn ni fwy na digon o syniadau ar gyfer gwisgoedd ffansi – gormod, efallai!' Gyda gwên, agorodd ddrws cefn y tŷ.

'Fy ngardd gefn!'

Ochneidiodd Moli'n dawel iddi'i hun.

'Iawn!' meddai Siriol, gan roi pensiliau a phapur i'w ffrindiau. 'Yn gyntaf, hoffwn i chi wneud nodyn o bopeth welwch chi o'ch cwmpas.'

'Does dim angen papur arnon ni i wneud hynny,' cwynodd Moli. 'Mae coed yma, a gwair, pwll dŵr, blodau, awyr . . . a dyna ni.' Roedd hi'n dechrau meddwl am fynd i Gaffi Seren ar ei phen ei hun.

Gwelodd Siriol ei bod am gael tipyn o drafferth i berswadio Moli bod thema ei pharti'n syniad da.

'Os edrychwn ni ar rai o'r pethau wnest ti eu henwi, efallai y galli di weld beth rwy'n ei olygu,' meddai, gan benlinio ar y llawr. 'Beth am edrych ar fy mhwll dŵr?'

Yn anfoddog, penliniodd ei ffrindiau wrth ei hochr, gan edrych yn ddwfn i mewn i'r dŵr.

'Do'n i ddim yn gwybod bod gen ti bysgodyn aur!' meddai Mali'n llawn cyffro, gan bwyntio at fflach oren yn gwibio o'r golwg o dan ddeilen.

'Rwy'n dwlu ar liw pysgod aur,' meddai Moli, gan ddechrau dangos diddordeb.

'Weithiau, pan fydd pelydrau'r haul yn cyffwrdd ag wyneb y dŵr, maen nhw'n edrych fel tasen nhw wedi'u gwneud o aur go iawn.'

Gwenodd Siriol yn falch. 'Wel, efallai y gallet ti wneud gwisg fel 'na i'r parti?' awgrymodd.

'Gwisgo fel pysgodyn?' meddai Moli'n syfrdan. 'Na wnaf i, wir.'

'Nage, y dwpsen!' meddai Siriol, gan chwerthin. 'Gallet ti wneud ffrog oren euraidd, mor ddisglair â physgodyn aur. Gallet ti hyd yn oed roi cynffon hir, bert arni.'

Roedd Moli wrth ei bodd. Am y tro cyntaf ers i Siriol roi gwahoddiad i bawb, roedd hi'n dechrau teimlo'n gyffrous am y parti.

'O, hoffwn i fod yn bysgodyn aur nawr, hefyd!' meddai Poli, gan edmygu braslun Moli o'i gwisg i'r parti.

'A finnau!' meddai Mali.

'Wel, mae digon o bethau eraill gallwch chi eu gwisgo,' meddai Siriol. 'Beth am ysgrifennu popeth rydyn ni'n ei weld yn fy ngardd? Wedyn, gallwn ni ddewis ein gwisgoedd wrth gael diod o siocled poeth yng Nghaffi Seren!'

* * *

Dros yr oriau nesaf bu Siriol, Mali, Poli, a hyd yn oed Moli, yn edrych yn fanwl ar fyd natur yng ngardd Siriol. Ac ar ôl iddyn nhw lenwi dwy ochr o'u papur, roedd mwy i'w ysgrifennu o hyd. Roedd y rhestr yn ddiddiwedd.

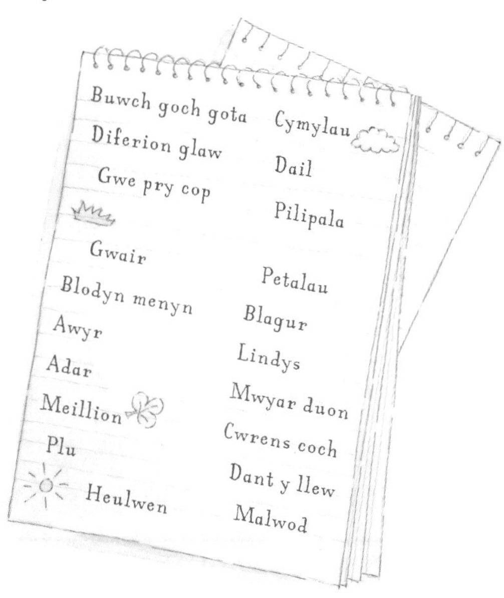

'Byddwn i'n dwlu gwisgo lan fel blodyn,' meddai Mali, gan osod ei siocled poeth ar y bwrdd o'i blaen. 'Ond does gen i ddim syniad pa un.'

'Pabi?' awgrymodd Moli, oherwydd mai coch oedd ei hoff liw.

'Llygad y dydd!' meddai Poli. 'Mae hwnnw'n flodyn pert, fel ti!'

'Pam na wnei di wisgo pob un ohonyn nhw?' meddai Siriol. 'Gallen ni wnïo blodau go-iawn ar dy deits.'

'Mae gen i fag blodeuog a chlust-dlysau blodeuog i'w benthyg i ti!' meddai Moli.

'Ac fe allet ti ddal tusw mawr o flodau hefyd!' meddai Poli, gan ymuno yn y sgwrs.

'Hmm,' meddai Mali'n

ansicr. 'Mae'n syniad da, ond rwy'n credu y baswn i'n edrych braidd yn anniben, gyda blodau drosta i gyd!'

'Felly beth am wisgo fel tusw bach o flodau?' awgrymodd Siriol. 'Mae gen i ffrog werdd hyfryd y gallet ti ei gwisgo. Dim ond teits ac esgidiau gwyrdd fyddet ti eu hangen wedyn.'

'Beth, a dal tusw o flodau yn fy nwylo?' holodd Mali.

'Wel, fe *allet* ti wneud hynny,' meddai Siriol, 'ond holl bwynt gwisg ffansi yw gwisgo rhywbeth na fyddet ti byth yn ei wisgo fel arfer. Mae gen i syniad – gallet ti roi dy hoff flodau yn dy wallt!'

'Syniad ardderchog!' meddai Moli, a oedd yn mwynhau arbrofi gyda gwahanol steiliau gwallt.

'Byddi di'n edrych yn brydferth iawn!' meddai Poli. 'Ond beth alla i ei wisgo? Mae gen i ddigon o syniadau, ond does dim un ohonyn nhw'n ddigon arbennig, rywsut.'

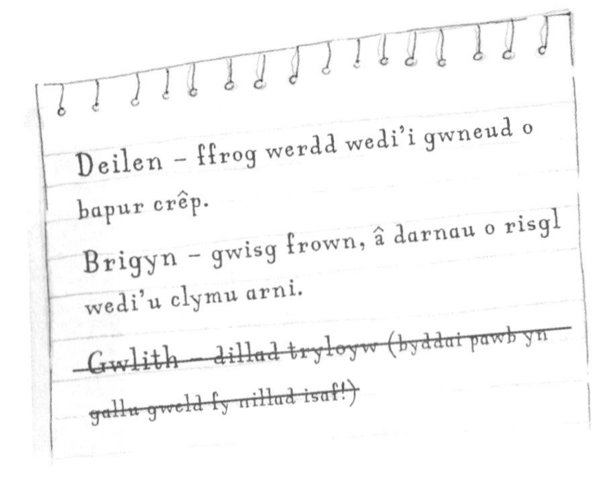
Deilen – ffrog werdd wedi'i gwneud o bapur crêp.

Brigyn – gwisg frown, â darnau o risgl wedi'u clymu arni.

~~Gwlith – dillad tryloyw (byddai pawb yn gallu gweld fy nillad isaf!)~~

'Mae'n bryd i ni chwilio yn y siopau am ysbrydoliaeth ar gyfer byd natur!' meddai Siriol. 'Gyda thipyn o lwc, efallai y gwelwch chi rywbeth fel siwmper anhygoel gyda streipiau melyn a du, a phenderfynu mynd i'r parti fel gwenynen!'

'Ai dyna beth rwyt ti am ei wneud?' holodd Poli.

Doedd Siriol ddim am ddatgelu ei chyfrinach.

'Efallai!' meddai, gan gyffwrdd â'i thrwyn gyda'i ffon hud. 'Ond bydd raid i chi aros i weld!'

* * *

Yn llawn bwrlwm, casglodd y tylwyth teg eu pethau, a chychwyn am y dref.

I ddechrau, aethon nhw i siop gleiniau yn Nhre'r Blodau. Roedd pob math o bethau yno – botymau, rhubanau, secwins, sticeri, tlysau, edau a gemau gwerthfawr hyd yn oed – digon i droi pethau'r mwyaf cyffredin yn syfrdanol.

Penderfynodd Siriol, Moli, Poli a Mali wahanu, er mwyn chwilio ym mhob twll a chornel o'r siop am syniadau.

Roedd Mali wrthi'n dewis rhuban ar gyfer ei gwisg tusw o flodau. Daeth Moli o hyd i secwins oren disglair ar gyfer ei ffrog cynffon pysgodyn. Roedd Poli yng nghanol pentwr prydferth o sidanau a rhwydi, ar gyfer creu gwisg pilipala amryliw. Yn y seler, roedd Siriol yn ceisio dewis pa emau disglair i'w gwisgo.

'Maen nhw'n hyfryd, on'd ydyn nhw?' meddai Siriol wrth y dylwythen deg urddasol y tu ôl iddi yn y ciw. 'Rwy' wedi treulio dyddiau'n chwilio

am y gemau iawn ar gyfer fy ngwisg i'r parti. Ro'n i bron â rhoi'r gorau iddi pan welais i'r saffirau glas golau 'ma, yn disgleirio yn ffenestr y siop.'

'Ydyn, maen nhw'n hyfryd,' meddai'r dylwythen deg, gan eu hedmygu.

'Mae'n ddrwg gen i am eich cadw chi mor hir,' meddai'r dylwythen y tu ôl i'r cownter wrth iddi orffen sgleinio gemau Siriol. 'Rwy' bron â gorffen.'

'Peidiwch â phoeni, wir,' meddai'r dylwythen deg urddasol yn gwrtais. 'Ond gobeithio bod rhai o'r saffirau glas hyfryd 'na ar ôl i mi.'

'Mae arna i ofn bod y dylwythen deg ifanc yma wedi cael y dwsin olaf,' atebodd. 'Bydd y stoc newydd yn cyrraedd ymhen pythefnos, os hoffech i mi archebu rhai i chi.'

'O brensiach!' meddai'r dylwythen deg yn drist. 'Mae hynny'n rhy hwyr o lawer. Mae'n rhaid imi eu cael nhw nawr.'

Roedd Siriol yn teimlo'n ofnadwy. Fel arfer, byddai'n rhannu popeth gyda phawb, ond roedd hi wedi treulio oriau'n dewis y gemau perffaith i wneud ei gwisg yn gwbl arbennig, a doedd hi ddim am ddechrau chwilio eto.

'Fel arfer, byddwn i'n cynnig y rhain i chi,' meddai Siriol yn betrusgar, 'ond yn anffodus, mae eu hangen nhw arna i; fyddai dim un o'r gemau eraill yn gwneud y tro.'

'Wn i ddim beth i wneud nawr,' meddai'r dylwythen deg, yn ddigalon iawn.

Meddyliodd Siriol am ychydig. 'Does arna i mo'u hangen nhw tan ddydd Sadwrn nesaf, pan fydda i'n cael parti. Fyddech chi'n hoffi eu benthyg nhw tan hynny?'

Yn lle gwenu, fel roedd Siriol wedi gobeithio, roedd y dylwythen deg yn edrych hyd yn oed yn fwy trist. Gan geisio dal y dagrau'n ôl, atebodd,

'Diolch yn fawr, ond ro'n innau am eu gwisgo i barti nos Sadwrn hefyd.'

'Ydych chi'n gwbl siŵr nad oes gennych chi rywbeth mewn lliw tebyg, sydd yr un mor drawiadol?' meddai Siriol, gan edrych yn obeithiol ar dylwythen y siop.

Ysgydwodd hithau ei phen yn araf. 'Nac oes, mae arna i ofn,' atebodd.

'Felly cymerwch y rhain,' meddai Siriol, gan estyn y saffirau i'r dylwythen deg urddasol. 'Bydd fy holl ffrindiau'n siŵr o ddod â digon o sglein i'r parti. Mae croeso i chi gael y rhain, yn anrheg.'

Yn sydyn, goleuodd wyneb y dylwythen deg. 'Diolch, diolch! Mae hyn yn golygu cymaint i mi, wir i ti,' meddai, gan roi cwtsh mawr i Siriol.

Roedd Siriol yn siomedig drosti hi ei hun, ond wrth ei bodd yn gweld tylwythen deg arall mor hapus. Gyda theimlad cynnes braf yn ei chalon, hedfanodd i ffwrdd i chwilio am Moli, Poli a Mali.

* * *

'Edrychwch beth sydd gen i!' meddai Poli'n hapus, gan chwifio cwdyn yn llawn sidan a rhwydi o dan drwyn Siriol.

Ochneidiodd Siriol.

'Mae Poli wedi penderfynu bod yn bilipala!' meddai Moli a Mali, fel un.

'Wel, os nad wyt tithau wedi penderfynu bod yn bilipala hefyd,' meddai Poli wrth Siriol, gan sylwi bod golwg braidd yn drist ar wyneb ei ffrind.

'Dydw i ddim yn gwybod beth i'w wisgo nawr,' meddai Siriol yn drist.

‘Alla i ddim gwneud fy ngwisg heb ddod o hyd i rywbeth disglair a glas fel yr awyr i’w wnïo arni. Falle y dylwn i wisgo fy ffrog binc blaen, a mynd fel mefusen?’

‘Na, mae hynny’n llawer rhy ddiflas,’ meddai Moli. ‘Ti ddywedodd wrthon ni am ddefnyddio ein dychymyg!’

‘Ond does gen i ddim syniadau gwell,’ meddai Siriol, gan deimlo braidd yn ddagreuol.

‘Wel, mae croeso iti ddefnyddio hwn!’ meddai Moli, Poli a Mali gyda’i gilydd, gan ddangos mwclis yn llawn saffirau glas fel yr awyr.

Ebychodd Siriol. ‘Waw! Mae’r rhain hyd yn oed yn fwy prydferth na’r saffirau welais i. O ble cawsoch chi nhw?’

‘Pan oeddet ti’n brysur i lawr grisiau, fe aethon ni dros y ffordd yn gyflym i chwilio am anrheg i ti o’r siop emwaith, i ddiolch am dy help yn dod o hyd i’n gwisgoedd parti perffaith.

Allen ni ddim fod wedi gwneud hyn hebddot ti, Siriol,' meddai Mali.

Gwenodd Siriol o glust i glust; nid oherwydd bod ei gwisg ffansi bellach yn gyflawn, ond oherwydd mai ganddi hi roedd y ffrindiau gorau ym Myd y Tylwyth Teg.

Mae byd natur yn llawn
lliw a bwrlwm
fel dy
ddychymyg di

Penbleth mewn Parti

Roedd diwrnod parti gwisg ffansi Siriol Swyn wedi cyrraedd o'r diwedd.

Drwy'r bore, bu Siriol a'i ffrindiau, Moli, Poli a Mali, wrthi'n addurno'r tŷ gyda rhubanau pinc golau, balŵns coch tywyll a baneri lliw ceirios. Roedd addurno tŷ Siriol ar gyfer parti bob amser yn gyffrous, ond y tro hwn roedden nhw hefyd yn cael cyfle i addurno'u hunain gyda gwisgoedd o bob lliw a llun!

Dros yr wythnos ddiwethaf, roedd y tylwyth teg wedi treulio'u holl amser rhydd yn ychwanegu manylion bychain at eu gwisgoedd ffansi anhygoel, nes bod llwythi o secwins, botymau, rhubanau a gleiniau fel carped dros loriau eu hystafelloedd gwely.

'Waw!' meddai Siriol, Moli a Mali fel un, pan welsant wisg anhygoel Poli am y tro cyntaf.

'Ydy hi'n iawn?' holodd Poli, gan agor y bocs yn llydan agored.

'Iawn?' holodd Moli'n gegrwth. 'Mae'n ardderchog! Rwyt ti'n siŵr o ennill y wobr am y wisg orau.'

'Gwisga hi!' meddai Siriol yn gyffrous.

'Na,' atebodd Poli'n chwareus. 'Bydd yn rhaid ichi aros tan y prynhawn 'ma, fel pawb arall.'

'O, dere. Beth am roi cip bach i ni?' ymbiliodd Moli, a oedd yn ysu am weld gwisg Poli yn ei holl ogoniant.

Edrychodd Poli ar ei wats. 'Yn nes ymlaen! Edrychwch, dim ond dwy awr sydd ar ôl tan i bawb arall ddechrau cyrraedd, ac mae'n rhaid i mi roi'r teisennau siocled yn y popty!'

Llyncodd Siriol ei phoer. Doedd dwy awr ddim yn llawer o amser, ac roedd cymaint i'w wneud o hyd . . . gan gynnwys rhoi'r addurniadau olaf ar ei gwisg ei hun.

Roedd hi bron yn siŵr fod rhywbeth arall i'w wneud hefyd, rhywbeth pwysig iawn, ond am eiliad, roedd hi'n methu'n lân â chofio beth oedd hwnnw.

Heb wastraffu eiliad yn rhagor, aeth y tylwyth teg yn ôl at eu gwaith.

Cyn hir, roedd tŷ Siriol yn fwrlwm o adenydd prysur, wrth i bawb ysgubo'r lloriau a gosod y byrddau, rhoi eisin ar gacennau a gosod llwyfan mawr ar gyfer enillydd y gystadleuaeth am y wisg ffansi orau.

* * *

'Ffiw! Dyna ni, o'r diwedd!' meddai Moli, gan godi'i phen yn falch i edmygu eu gwaith caled. 'Wn i ddim amdanoch chi'ch tair, ond rwy'n mynd i ddechrau paratoi. Fi sy'n mynd i'r stafell 'molchi gyntaf, a chofiwch – dim sbecian nes bydda i'n gwbl barod!' Gyda hynny, i ffwrdd â hi.

'Gallwch chi'ch dwy ddefnyddio'r stafell wely sbâr i newid os hoffech chi,' cynigiodd Siriol i Poli a Mali. 'Mae'n rhaid i mi wneud ychydig o bethau munud olaf i 'ngwisg i.'

Wrth iddi gerdded i fyny'r grisiau at ei hystafell wely, trodd Siriol yn ôl i alw ar Poli a Mali: 'Os na fyddaf i lawr erbyn i'r gwesteion cyntaf gyrraedd, wnewch chi agor y drws a'u croesawu?'

* * *

Roedd Moli newydd orffen trin ei gwallt pan ganodd cloch drws Siriol.

'Fe agora i fe!' galwodd ar y lleill, a oedd yn dal i baratoi.

'Helô!' meddai Moli'n uchel, wrth groesawu'r bluen eira fwyaf iddi ei gweld erioed. 'Dyna wisg anhygoel!'

Ceisiodd Moli ddyfalu pwy oedd yn cuddio o dan yr holl eira disglair.

'Wyt ti am fy ngadael i mewn, 'te, Siriol?' holodd y dylwythen deg, gan biffian chwerthin o dan ei mwgwd. Camodd Moli yn ôl i wneud lle i'r bluen eira ddod drwy'r drws. 'Moli ydw i, nid Siriol!' atebodd, gan dynnu ei phenwisg oren i ffwrdd.

'Moli!' ebychodd y dylwythen deg. 'Rwyt ti'n edrych yn anhygoel! Doedd gen i ddim syniad mai ti oedd o dan y mwgwd 'na!'

Y thema ar gyfer parti gwisg ffansi Siriol oedd byd natur. Ar ôl llawer o bendroni, roedd Moli wedi trawsnewid ffrog oren ddi-siâp yn gampwaith pefriog gwych, â phenwisg oren ddisglair ar ei phen.

'A does gen i ddim syniad pwy wyt ti!' meddai Moli, gan geisio chwilio am gliw.

'O, does bosib nad wyt ti'n gwybod pwy ydw i!' chwarddodd Llywela, Tylwythen y Barrug. 'Mae fy ngwisg yn gwneud hynny'n ddigon amlwg!'

Ond cyn i Moli gael cyfle i ddyfalu, canodd y gloch unwaith eto.

Pan agorodd y drws y tro hwn, lindysyn mawr oedd yn ei chyfarch!

'Helô, Siriol!' meddai dau lais yr un pryd, y naill o'r blaen a'r llall o gefn y wisg.

'Helô! Helô!' meddai Moli gan chwerthin. Roedd hi ar fin esbonio nad Siriol oedd hi, ond chafodd hi ddim cyfle!

* * *

Erbyn i Poli a Mali ddod i lawr y grisiau, roedd y tŷ'n llawn tylwyth teg, wedi'u gwisgo fel pob math o elfennau o fyd natur. Roedd yno wisgoedd blodau, ffrogiau buwch goch gota, sbectol haul siâp pelydrau'r haul a hetiau siâp diferion glaw.

'On'd yw Siriol yn edrych yn wych yn y wisg pysgodyn aur 'na?' meddai tylwythen

deg wedi'i gwisgo
fel cwmwl mawr gwyn
wrth Poli.

'Ai Siriol yw honna?' holodd Poli, gan arllwys gwydraid mawr o sudd enfys iddi ei hun. 'Ro'n i'n credu bod *Moli'n* gwisgo fel pysgodyn aur, ond efallai eu bod nhw wedi cyfnewid eu gwisgoedd ar y funud olaf.'

'Oni bai mai Moli sy draw fan'na,' meddai Mali, a oedd newydd glywed eu sgwrs ac wedi sylwi ar bysgodyn aur arall ym mhen draw'r ystafell.

'O brensiach!' meddai Poli, gan chwerthin. 'Does neb yn gwybod pwy yw pwy!'

'Mae dyfalu pwy sy'n gwisgo'r gwisgoedd gwahanol yn rhan o hwyl parti gwisg ffansi!' meddai'r cwmwl.

'Rwy'n siŵr y galla i ddyfalu pwy wyt ti!' meddai Mali, gan wasgu'r cwmwl yn ysgafn. 'Gwelais i ti'n cwympo i gysgu yn y gadair freichiau gynnau, Nel!'

Chwarddodd Nel. Roedd hi wedi dyheu am gael bod yn un o Dylwyth Teg y Breuddwydion ers blynyddoedd. Felly, roedd dod i barti gwisg ffansi wedi ei gwisgo fel cwmwl yn ddewis naturiol.

'Ble mae Siriol, tybed,' holodd Poli'n dawel wrth Mali, pan oedden nhw ar eu pennau eu hunain. 'Moli yw'r pysgodyn aur yna, yn bendant – edrycha ar y ffordd ddramatig mae hi'n symud ei phenwisg.'

'Rwy'n credu dy fod ti'n iawn,' meddai Mali. 'Sioned o fy nosbarth Mathemateg yw'r pysgodyn aur arall. 'Drycha, galli di weld ychydig o'i gwallt hir tywyll o dan ei chap sgleiniog.'

'Beth am fynd i chwilio am Siriol, 'te!' cyhoeddodd Poli, gan orffen ei sudd. 'Gwela i ti 'nôl fan hyn ymhen deng munud!'

* * *

Roedd llawr gwaelod y tŷ dan ei sang. Cafodd Mali a Poli ddigon o drafferth gwasgu drwy bob ystafell, heb sôn am geisio dod o hyd i Siriol, yng nghanol y môr o wisgoedd gwych a gwirion.

Pan gwrddon nhw'n ôl wrth y bwrdd diodydd, roedd y ddwy bron yn siŵr iddyn nhw weld Siriol yn sefyll ar ei phen ei hun wrth y drws ffrynt, yn dal amlen fawr, lliw aur.

'Roedd gormod o dylwyth teg yn hofran o gwmpas imi fedru gweld unrhyw un yn iawn,' meddai Poli, yn falch o ddod o hyd i le gwag.

'Oedd wir,' cytunodd Mali. 'Roedd y blodau yn fy ngwallt yn y ffordd o hyd, a doedd dim gobaith i mi fynd heibio gwisg bluog yr aderyn glas anferthol 'na.'

Roedd Mali am fod yn un o Dylwyth Teg y Blodau rhyw ddydd, ac roedd hi wedi gwisgo fel tusw o'i hoff flodau.

'Mae'n rhaid taw hi oedd hi!' meddai Poli'n bendant. 'Dyna'r wisg harddaf yn y parti, o bell ffordd. Mae gwisgo fel paun yn ddewis perffaith i rywun mor lliwgar â Siriol.'

'Siriol yw hi, yn bendant. Yr amlen aur yn ei llaw yw'r wobr am y wisg orau, mae'n rhaid.'

'Ond mae 'na un peth nad yw'n gwneud synnwyr,' meddai Poli, gan edrych yn ddryslyd. 'Fyddai Siriol ddim yn sefyll ar ei phen ei hun yn ei pharti ei hun.'

'Pwy sydd ar ei phen ei hun?' bloeddiodd fflach fawr o liw, gan roi tipyn o fraw iddynt wrth sboncio o'u blaenau'n sydyn.

'Mae Siriol ar ei phen ei hun,' meddai Poli a Mali, wedi cael tipyn o sioc wrth weld yr enfys anferthol o'u blaenau. 'Mae hi'n sefyll wrth y drws ffrynt, yn pendroni ynglŷn â gwisgoedd gorau'r gystadleuaeth, fwy na thebyg,' meddai Poli. 'A taswn i'n ti, byddwn i'n mynd draw yno nawr,' meddai Mali, gan guddio'i llygaid rhag disgleirdeb llachar yr enfys. 'Rwy'n

credu bod gen ti siawns eitha da o ennill!'

'Alla i ddim ennill fy nghystadleuaeth fy hun!' meddai'r enfys, gan chwerthin. 'Fi sy 'ma, o dan y wisg!' Edrychodd Poli a Mali ar ei gilydd yn ddryslyd.

'Fi! Siriol!' Cododd yr enfys ei sgert amryliw anferthol er mwyn dangos pâr o deits streipiog unigryw Siriol.

'Mae'n ddrwg gen i am gyrraedd y parti'n hwyr. Roedd yn rhaid i mi ychwanegu pethau bach munud-olaf i'r wisg. Mae'r mwclis saffir glas ges i gennych chi'n hollol berffaith.'

Troellodd Siriol yn ei gwisg enfys, i ddangos lliwiau syfrdanol y gemau.

'Os mai ti sy fan hyn, tybed pwy sy'n

sefyll wrth y drws? Roedden ni'n meddwl dy fod ti wedi gwisgo fel paun!' meddai Mali.

'Siriol, dyma'r parti gorau erioed! Dydw i erioed wedi cael cymaint o hwyl. Does neb yn gwybod pwy yw pwy, ac mae pawb arall yn credu mai ti yw'r pysgodyn aur!' meddai Poli gan chwerthin.

'O leia does neb wedi sylwi arna i'n cyrraedd yn hwyr, felly!' meddai Siriol, gan sgipio i ffwrdd i ymuno yn yr hwyl.

* * *

Aeth y parti gwisg ffansi yn ei flaen drwy'r prynhawn.

A dyna lle bu'r tylwyth teg yn dawnsio, yn bwyta ac yn chwarae gemau, mewn gwisgoedd buwch goch cota, sioncyn y gwair, mwyar duon a blodau lliwgar, nes yn y diwedd roedd yn bryd i Siriol gyhoeddi enillydd y wisg orau.

'Roedd hwn yn benderfyniad anodd iawn,' cyfaddefodd Siriol wrth ei ffrindiau.

'Iona sy'n cael fy mhleidlais i,' meddai Mali. 'Mae hi'n edrych yn anhygoel yn ei gwisg aderyn â phlu glas.'

'Mae'n rhaid i Elisa ennill,' meddai Moli, gan droelli'i chynffon pysgodyn. 'Fe gymerodd ddyddiau iddi wnïo'r gleiniau glas 'na ar ei gwisg, i greu rhaeadr mor fendigedig.'

'Rwy'n credu mai'r paun gyda'r amlen aur fydd yn ennill,' meddai Poli, gan bwyntio at y dylwythen deg a fu'n sefyll ar ei phen ei hun, ond a oedd bellach yn dawnsio yng nghanol cylch o dylwyth teg, ac yn troi a throelli i'r gerddoriaeth.

'Ie,' meddai Siriol. 'Rwy'n credu dy fod ti'n iawn. Mae cymaint o fanylder yn ei gwisg. Mae'n edrych fel tasai wedi'i gwneud gan rywun proffesiynol.'

'Rwy'n credu mai un o'r pethau gorau am y wisg,' meddai Poli'n synfyfyriol, 'yw mai dyma'r unig wisg sy'n dal i wneud i ni bendroni ynglŷn â phwy sy'n ei gwisgo!'

'Mae gennym ni enillydd, 'te!' meddai Siriol, a chytunodd pawb â hi.

Yn ofalus, gwasgodd Siriol drwy'r cylch o dylwyth teg i gyrraedd y llwyfan y bu'n ei adeiladu gyda'i ffrindiau'r bore hwnnw.

'Ahem!' pesychodd, gan glirio'i llwnc ac ysgwyd ei ffon hud i gael tawelwch. 'Diolch yn fawr iawn i bawb am ddod. A diolch hefyd am wneud cymaint o ymdrech i wisgo mor wych.'

Dechreuodd pawb guro dwylo'n frwd.

'Roedd yn anodd iawn i mi ddewis enillydd ar gyfer y wobr am y wisg orau, gan fod pawb wedi creu gwisgoedd unigryw a hollol hudolus. Ond nawr, ar ôl llawer o bendroni, rwy' wedi penderfynu y dylai'r wobr fynd i'r dylwythen deg sydd wedi gwisgo fel paun!'

Llanwyd yr ystafell â gweiddi a churo dwylo, wrth i lygaid pawb droi at y dylwythen deg mewn gwisg paun. Symudai'n swil at y llwyfan i dderbyn ei gwobr.

Yn sydyn, daeth golwg bryderus i wyneb Siriol. Y wobr! Roedd hi wedi anghofio'n llwyr am y wobr. Roedd hi wedi bod mor brysur yn gwnïo'r saffirau glas ar ei gwisg enfys, ac yna'n cael hwyl yn y parti, nes iddi anghofio'n llwyr am y deisen siocled roedd hi wedi bwriadu ei phobi'n wobr!

'Diolch yn fawr!' meddai'r dylwythen mewn ffrog paun, gan gamu ar y llwyfan. 'A diolch yn arbennig i Siriol am ddewis fy ngwisg i fel gwisg orau'r parti heddiw.'

Curodd pawb eu dwylo. Edrychodd Siriol o'i chwmpas yn nerfus, gan deimlo diferion o chwys yn llifo i lawr ei thalcen.

'Mae arna i ofn, er hynny, na fydda i'n gallu derbyn y wobr,' meddai'r paun. Edrychodd yr holl dylwyth teg ar ei gilydd mewn penbleth. Cododd Siriol ei haeliau'n syn, cyn teimlo rhyddhad.

'Mae llawer iawn ohonoch chi wedi bod yn ceisio dyfalu pwy ydw i,' aeth y dylwythen deg yn ei blaen. 'Ac ar ôl i mi dynnu fy mwgwd i ffwrdd, byddwch chi'n deall pam nad ydw i'n haeddu ennill.'

Daliodd yr holl dylwyth teg eu gwynt.

'Wyt ti'n credu mai Brenhines y Tylwyth Teg yw hi?' gofynnodd Moli i Poli. 'Efallai ei bod hi wedi defnyddio swyn arbennig i wneud ei gwisg?'

Yn raddol, datododd y dylwythen deg y rhubanau ar ei mwgwd, wrth i'r tylwyth teg, yn eu gwisgoedd amryliw, wylio'n llawn cyffro.

'Dydych chi ddim yn fy adnabod i!' cyhoeddodd. 'Des i yma'n unswydd i gyflwyno'r amlen hon, ond roeddech chi i gyd mor hyfryd a chyfeillgar nes bod yn rhaid i mi aros.'

Yn llawn syndod, dechreuodd y tylwyth teg guro dwylo'n uchel, er nad oedd ganddyn nhw syniad pwy oedd y dylwythen deg mewn gwisg paun.

'Rwy'n forwyn i dylwythen deg bwysig iawn, ac fe wnaeth Siriol gymwynas garedig iawn â hi, pan roddodd ei cherrig saffir glas iddi. Felly, fe ddes i â'r amlen hon oddi wrth y dylwythen deg bwysig.'

Cyflwynodd y dylwythen deg mewn gwisg paun yr amlen lliw aur oedd yn ei llaw ers dechrau'r parti.

'Agor hi! Agor hi!' gwaeddodd pawb. Yn araf, agorodd Siriol yr amlen a thynnu cerdyn bach disglair ohoni. Wrth iddi ddarllen y cerdyn, daeth gwên fach i'w hwyneb.

'Gwahoddiad yw hwn i Ddawns Fawreddog y Mygydau, heno, oddi wrth Brif Dylwythen Deg tref Cerrig Pluog!'

'Pe bawn i wedi medru gwneud dymuniad i mi fy hun,' meddai Siriol, 'byddwn wedi dymuno am barti na fyddai byth yn gorffen. Mewn rhyw ffordd ryfedd, mae'r dymuniad cyfrinachol hwnnw wedi dod yn wir!'

Yn eu gwisgoedd ffansi amryliw, dechreuodd ei holl ffrindiau guro dwylo'n uwch nag erioed!

Mae rhannu pethau
gwerthfawr yn hael

yn siŵr o ddod â hapusrwydd
annisgwyl i'ch bywydau

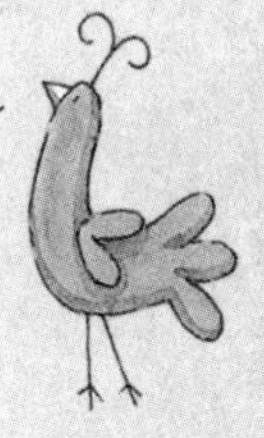

Enfysau Ysblennydd

Os oedd yna un peth roedd Siriol Swyn yn ei hoffi'n fwy na pharti, wel syrpreis oedd hwnnw! Felly, roedd hi wedi cynhyrfu'n lân pan gafodd wahoddiad annisgwyl i Ddawns Fawreddog y Mygydau.

Bob blwyddyn, byddai Prif Dylwythen Deg Cerrig Pluog yn cynnal dawns anhygoel i ddathlu diwedd yr haf. Doedd Siriol erioed wedi cwrdd â Thylwythen Cerrig Pluog ond, heb yn wybod iddi hi ei hun, roedd wedi ei helpu i ddatrys sefyllfa fach anodd. Felly, i ddiolch yn fawr iddi am ei charedigrwydd, cafodd Siriol wahoddiad i'r ddawns gan Dylwythen Cerrig Pluog.

'Beth ar wyneb y byd hud alla i ei wisgo?' ebychodd Siriol wrth ei thair ffrind, Moli, Poli a Mali, wrth wibio o gwmpas ei hystafell wely gan dyrchu drwy ddroriau a phalu'n wyllt drwy ei chypyrddau.

'Wel, beth bynnag fyddi di'n ei wisgo, bydd yn rhaid iti frysio,' meddai Mali, gan sbecian allan o ffenestr yr ystafell wely ar y car mawr aur oedd wedi dod i nôl Siriol.

'Dydw i erioed wedi bod mewn Dawns Mygydau. Dydw i ddim eisiau gwisgo rhywbeth diflas, ond dydw i ddim eisiau gwisgo rhywbeth dros-ben-llestri chwaith!' meddai Siriol, yn llawn panig.

'Pam na wnei di wisgo'r ffrog sydd amdanat ti nawr?' awgrymodd Moli.

Roedd Siriol newydd gynnal parti gwisg ffansi, ac wedi gwnïo gwisg enfys ysblennydd ar ei gyfer. Roedd y sgert a'r benwisg yn creu bwa pefriog, yn llawn gemau a gleiniau o bob lliw dan haul.

'Taset ti'n tynnu'r benwisg i ffwrdd ac yn gwisgo mwgwd bach syml, byddai'r wisg yn berffaith,' aeth Moli yn ei blaen, gan dynnu'r benwisg oddi ar ben Siriol cyn iddi gael cyfle i ymateb.

Camodd Moli, Poli a Mali yn ôl, gan edrych yn syfrdan ar Siriol. Trodd Siriol i edrych yn y drych.

'Ydych chi'n siŵr nad yw'r ffrog yma dros-ben-llestri?' gofynnodd Siriol, gan symud o ochr i ochr i edmygu'r holl liwiau bendigedig yn ei sgert.

'Mae'n berffaith,' meddai Moli, gan esmwytho'r crychau yn y sgert. 'Rwy' wedi gweld lluniau o'r math yma o beth, ac mae pawb bob amser yn gwisgo pethau sydd ychydig bach dros-ben-llestri. Mae'n rhaid i ti fod yn wahanol, er mwyn i bawb sylwi arnat ti!'

Doedd Siriol ddim yn teimlo'n gwbl hapus. Roedd yn llawer gwell ganddi fod yn rhan o'r criw, ac roedd hi'n poeni am dynnu sylw ati'i hun, yn enwedig mewn parti lle na fyddai hi'n adnabod unrhyw un.

'Byddi di'n iawn!' meddai Mali i'w chysuro, gan ddarllen meddwl ei ffrind. 'Ti yw'r dylwythen deg fwyaf caredig yn Nhre'r Blodau. Bydd pobl yn gweld dy gymeriad disglair, cyn iddyn nhw sylwi ar dy sgert enfys!'

'Efallai'n wir, ond rwy'n credu y byddwn i'n teimlo'n fwy cyfforddus yn hon,' meddai Siriol, gan ddal ei hoff ffrog binc.

'Wel, gwisga honna o dan y llall!' meddai Poli, a oedd bob amser yn ymarferol. 'Os byddi di'n teimlo'n anghyfforddus ar ôl cyrraedd y ddawns, galli di dynnu dy wisg enfys a gwisgo dy ffrog binc yn ei lle.'

BÎP! BÎP! BÎP!

'Gwell i mi fynd!' meddai Siriol yn nerfus, ar ôl gwisgo'i hoff ffrog binc o dan ei gwisg ffansi.

'Dymunwch bob lwc i mi!' meddai, gan gerdded yn ofalus iawn i lawr y grisiau.

* * *

Y tu allan, daeth Siani i'w chyfarch. Hi oedd morwyn Tylwythen Cerrig Pluog, ac aeth â Siriol i mewn i'r car mawr aur. Y tu mewn, roedd seddi melfed pinc a llwythi o glustogau pluog mawr gydag ymylon euraidd. Eisteddodd Siriol yn y cefn, i fwynhau gwydraid o sudd mefus pefriog wrth gael ei gyrru i'r ddawns ar hyd ffyrdd troellog Tre'r Blodau.

Gyda phob troad yn y ffordd, gallai Siriol deimlo mwy o bilipalod yn ei bol.

'Mae Tylwythen Cerrig Pluog yn edrych ymlaen at gwrdd â ti,' meddai Siani, gan dorri ar draws meddyliau Siriol. 'Dyw hi ddim wedi rhoi'r gorau i siarad am dy garedigrwydd byth ers iti roi'r gemau saffir glas iddi hi.'

'Doedd e'n ddim byd mawr,' meddai Siriol, yn onest. 'Roedd Tylwythen Cerrig Pluog yn edrych fel petai arni fwy o angen y cerrig na fi, felly roedd yn naturiol i mi eu cynnig iddi hi.'

'Rwy'n adnabod Tylwythen Cerrig Pluog ers amser maith, ac mae hi'n dewis ei dillad yn ofalus bob amser.'

'Mae gen i ffrind fel 'na,' meddai Siriol gan wenu, wrth feddwl am Moli.

'Roedd hi am ddefnyddio'r saffirau glas roddaist ti iddi hi i addurno'i choron. Bob blwyddyn, mae Tylwythen Cerrig Pluog yn dewis ffrog o liw gwahanol i'w gwisgo i'r ddawns, ac yn ychwanegu gem o'r un lliw at y gemau yn ei choron.'

'Felly, eleni, bydd Tylwythen Cerrig Pluog yn gwisgo ffrog las fel yr awyr?' gofynnodd Siriol.

Nodiodd Siani ei phen gan chwerthin. Pwysodd ymlaen i sibrwd yng nghlust Siriol. 'Mae'n bwysig iawn i Dylwythen Cerrig Pluog nad oes neb arall yn Nawns y Mygydau'n gwisgo'r un lliw â hi. Ei pharti hi yw e, ac mae hi eisiau edrych yn unigryw ac yn fwy trawiadol na phawb arall.'

Edrychodd Siriol yn ddigalon ar ei sgert enfys gyda'i saffirau glas fel yr awyr.

'Paid â phoeni am hynny!' meddai Siani, gan sylwi ar yr olwg bryderus ar wyneb Siriol. 'Dim ond y prif liw sydd wir yn bwysig i Dylwythen Cerrig Pluog, ac yn ogystal â glas fel yr awyr, rwyt *ti'n* gwisgo holl liwiau'r enfys!'

* * *

O'r diwedd, cyrhaeddodd y car euraidd wrth fynedfa'r llwybr hir, mawreddog.

Wrth iddynt symud yn eu blaenau, edrychodd Siriol yn gegrwth ar y gerddi bendigedig o gwmpas y tŷ. Byddai Mali wrth ei bodd gyda'r rhain, meddyliodd wrthi'i hun.

Roedd tair tylwythen brydferth yn aros i groesawu gwesteion wrth iddynt gyrraedd. Roedd pob un wedi ei gwisgo'n union fel Siani, gyda gwisg o blu paun prydferth a mygydau bach wedi eu haddurno â gemau.

Agorodd un ohonynt ddrws y car, ac aeth un arall i helpu Siriol i ddod allan, tra oedd y llall yn gwneud cyrtsi ac yn rhoi gwydraid o sudd ffrwythau pefriog yn ei llaw.

Tynnodd Siriol anadl ddofn ac edrych i fyny ar y grisiau anferthol, â charped coch drostynt, oedd yn arwain at y plasty enfawr o'i blaen. Oherwydd ei bod yn teimlo ychydig ar goll, trodd yn ôl i chwilio am Siani, ond roedd hi wrthi'n brysur yn sgwrsio gyda thylwythen deg arall.

Gan sythu ei mwgwd ac anadlu'n ddwfn, dechreuodd Siriol gerdded tuag at oleuni euraidd y ddawns. Doedd Siriol erioed wedi gweld unrhyw beth tebyg i fynedfa fawreddog ac ysblennydd y neuadd. Roedd siandelïers anferth llawn prismau yn gorchuddio'r waliau â miloedd o enfysau.

Roedd yn edrych fel petai gweddill y gwesteion wedi bod yno ers tro, oherwydd roedd y ddawns yn ei hanterth. Wrth i Siriol agosáu, doedd hi ddim yn poeni am dynnu sylw ati'i hun. O'i chwmpas ym mhob man, roedd tylwyth teg prydferth yn hofran, yn hedfan ac yn camu'n osgeiddig mewn dillad bendigedig.

Ar ben arall y neuadd gallai Siriol weld tylwythen deg urddasol, mewn gwisg las fel yr awyr. O'i chwmpas roedd llu o forynion, mewn gwisgoedd o blu paun.

Tylwythen Cerrig Pluog! meddyliodd Siriol wrthi'i hun, gan symud tuag ati i ddiolch am y gwahoddiad caredig.

Roedd Siriol ar fin cyrraedd ati pan darodd rhywun yn ei herbyn, gan wneud iddi arllwys gweddill ei sudd ffrwythau dros ei sgert enfys hardd.

'O, mae'n ddrwg iawn gen i,' meddai llais cyfarwydd.

'Paid â phoeni,' meddai Siriol, gan

edrych i lawr ar ei sgert, cyn troi i edrych ar y dylwythen deg. Roedd ei wyneb yn gyfarwydd.

'Siani!' ebychodd. 'Paid â phoeni, wir. Alli di ddim gweld ôl y sudd drwy'r holl liwiau ar y sgert. Mae angen iddo fe sychu, dyna i gyd,' meddai Siriol yn serchog.

'O Siriol, mae'n ddrwg iawn gen i. Mae rhywbeth braidd yn anffodus wedi digwydd, a do'n i ddim yn edrych i ble ro'n i'n mynd. Dere gyda fi i'r cefn, i mi gael rhoi ychydig o bowdr hud ar dy sgert i'w glanhau a'i sychu. Bydd yn edrych fel newydd mewn chwinciad chwannen.'

Dilynodd Siriol yn gyflym ar ôl Siani drwy gyfres o ddrysau, nes iddynt gyrraedd ystafell fach. Roedd y silffoedd i gyd yn llawn moddion a photeli o bob math.

'Dyma fe,' meddai, gan estyn ar flaenau ei thraed i gyrraedd tiwb gwydr â chaead crisial. 'Trueni nad

yw pob problem mor hawdd ei datrys â hon,' meddai, gan arllwys pinsiad o bowdr yn ofalus i gledr ei llaw.

'Welaist ti'r dylwythen deg mewn ffrog las fel yr awyr?' holodd Siani, gan daenu'r llwch dros sgert enfys Siriol.

'Do,' meddai Siriol yn frwd. 'Ro'n i ar fin mynd draw i ddiolch i Dylwythen Cerrig Pluog am ei gwahoddiad caredig.'

'O, nid Tylwythen Cerrig Pluog yw honna!' meddai Siani, gan ochneidio'n ddwfn wrth roi'r tiwb gwydr yn ôl ar y silff. 'Tylwythen Cwm Tywyll yw honna, sydd *hefyd* yn gwisgo glas fel yr awyr, er mawr siom i Dylwythen Cerrig Pluog. Mae hi yn ei hystafell nawr, ac yn gwrthod dod i lawr.'

'O brensiach! Druan â Thylwythen Cerrig Pluog,' meddai Siriol, gan edrych i lawr ar y powdwr. Yn ogystal â glanhau a sychu ei sgert, roedd y powdwr wedi rhoi sglein disglair hyfryd arni, fel ei bod yn fwy llachar nag erioed.

'Ie, wir!' meddai Siani, gan graffu ar sgert lân, ddisglair Siriol wrth ei harwain allan o'r ystafell.

'Mae pawb i fod i eistedd i gael swper ymhen hanner awr, ond wnaiff hynny ddim digwydd os bydd Tylwythen Cerrig Pluog yn dal i wrthod dod i lawr.'

Ceisiodd Siriol beidio â theimlo'n swil yn ei ffrog lachar, a meddyliodd am Dylwythen Cerrig Pluog.

Ceisiodd ddychmygu sut y byddai hi

wedi teimlo petai rhywun arall wedi dod i'w pharti hi mewn gwisg enfys debyg. Ond eto, meddyliodd Siriol, mae'n rhaid bod gan Dylwythen Cerrig Pluog rywbeth arall i'w wisgo – rhywbeth mwy rhyfeddol a thrawiadol na'r holl wisgoedd eraill.

'Sawl gwaith mae Tylwythen Cerrig Pluog wedi cynnal Dawns y Mygydau?' holodd Siriol, wrth gamu ar hyd y cyntedd at fynedfa'r neuadd.

'Tri deg o weithiau, gan gynnwys heno,' meddai Siani. 'Dyna pam mae hyn mor bwysig.'

'Felly, mae'n rhaid bod coron arbennig Tylwythen Cerrig Pluog wedi'i haddurno â thri deg o emau amryliw?'

'Ydy,' meddai Siani. 'Mae hi'n rhoi gem newydd ar ei choron bob blwyddyn i gynrychioli'r lliw diweddaraf. Dim ond yn y Ddawns yma mae Tylwythen Cerrig Pluog yn gwisgo'r goron nawr, oherwydd ei bod hi mor drwm.'

'Mae gen i syniad,' meddai Siriol, gan edrych i lawr ar ei ffrog liwgar, ddisglair, a oedd yn edrych yn llawer rhy grand iddi hi nawr. 'Wyt ti'n credu y byddai hi'n gadael i mi helpu?'

'Rwy'n credu y byddai Tylwythen Cerrig Pluog yn falch iawn o gael dy help. Wedi'r cyfan, rwyt ti wedi ei helpu o'r blaen!'

Ond fe gymerodd dipyn o amser i Siani berswadio Tylwythen Cerrig Pluog i weld Siriol.

Yn y diwedd, cafodd Siriol ei harwain i'r ystafell, ac aeth ati'n syth i esbonio ei chynllun er mwyn helpu Tylwythen Cerrig Pluog i edrych yn gwbl unigryw yn Nawns Fawreddog y Mygydau, rhif tri deg.

* * *

Atseiniodd sŵn gong uchel dair gwaith drwy gyntedd ysblennydd y neuadd, a disgynnodd tawelwch llwyr dros y dorf o dylwyth teg mewn mygydau.

Sgipiodd Siriol yn gyflym ac yn dawel i lawr y grisiau yn ei ffrog binc bert. Pinc oedd ei hoff liw, ac roedd hi'n teimlo'n llawer mwy cyfforddus yn y ffrog hon.

'A wnaiff pawb godi eu gwydrau i gynnig llwncdestun i'n gwesteiwraig heno, wrth inni fwynhau Dawns y Mygydau, rhif tri deg . . . Prif Dylwythen Cerrig Pluog!'

'Prif Dylwythen Cerrig Pluog!' bloeddiodd y dorf, wrth i fflach amryliw ymddangos ar ben y grisiau.

Treiddiodd holl liwiau'r enfys drwy'r cyntedd i gyd.

Roedd rhai tylwyth teg bron â gollwng eu gwydrau, ac fe gododd rhai eraill eu mygydau cywrain, er mwyn gwneud yn siŵr bod yr olygfa o'u blaenau'n real. Atseiniodd ebychiadau syn o gwmpas yr ystafell, wrth i bawb syllu mewn rhyfeddod.

Yn araf ac yn ofalus, camodd Tylwythen Cerrig Pluog i lawr y grisiau'n osgeiddig ac yn urddasol. Rhoddodd hyn ddigon o gyfle i'w gwesteion edmygu'r lliwiau llachar, a oedd yn treiddio fel pelydrau o'r gemau ar ei choron a'i gwisg brydferth.

'Diolch *o galon* i bawb am ddod!' cyhoeddodd Tylwythen Cerrig Pluog, ar ôl iddi gyrraedd y gwaelod. Dechreuodd ei gwesteion gymeradwyo'n frwd.

'Fel y mae'r rhan fwyaf ohonoch chi'n

gwybod, rwy'n dathlu'r ddawns hon bob blwyddyn gyda lliw gwahanol. Ond fe sylwodd fy ffrind newydd – sydd bellach yn ffrind annwyl iawn – fod lliw eleni, sef glas fel yr awyr, yn cwblhau sbectrwm yr enfys, sef tri deg o liwiau. Heno, mae pob un ohonom, trwy'r dillad rydym yn eu gwisgo, yn rhan o'r enfys honno.'

Gwridodd Siriol yn falch.

'Felly,' aeth Tylwythen Cerrig Pluog yn ei blaen, 'eleni, wrth ddathlu tri deg o flynyddoedd o Ddawns y Mygydau, mae'n gwbl briodol i mi eich croesawu gyda holl liwiau'r enfys.'

Pwyntiodd Tylwythen Cerrig Pluog at y cannoedd o enfysau bychain a oedd yn disgleirio drwy oleuadau'r siandelïers, gan orchuddio'r waliau â'u lliw.

'Os gwelwch yn dda, ewch i mewn i'r neuadd giniawa. Rwy' am i bawb fwyta, yfed, dawnsio, ac yn bwysicach na dim, mwynhau!'

Gyda hynny, curodd pawb eu dwylo, yn hapusach nag erioed.

* * *

Aeth y Ddawns ymlaen tan oriau mân y bore, a chytunodd pawb mai honno oedd yr un orau erioed.

Roedd Tylwythen Cerrig Pluog wrth ei bodd drwy'r nos. Oherwydd bod ei gwisg wedi tynnu sylw pawb, doedd hi ddim wedi cael cyfle i siarad â Siriol hyd nes bod Siriol ar fin gadael.

'Diolch am fy ngwahodd i barti mor arbennig!' meddai Siriol, wedi blino'n lân ar ôl yr holl hwyl. 'Rydych chi'n adnabod cymaint o dylwyth teg hyfryd – mae'n drueni na ches i amser i ddod yn ffrindiau gyda nhw i gyd!'

'Mae pob ffrind i mi nawr yn ffrind i ti, Siriol,' meddai Tylwythen Cerrig

Pluog. 'Ac rwy'n gwybod i mi ddod yn ffrindiau gyda thylwythen arbennig iawn heno. Tylwythen gwbl unigryw a charedig, sy'n disgleirio fel enfys hardd . . . ti!'

Mae gwir gyfeillgarwch

mor brydferth ag enfys

Emma Thomson
Gomer
Siriol Swyn
Cyfrinachau Cyfareddol
a storïau eraill

Emma Thomson
Gomer
Siriol Swyn
Dymuno Dawnsio
a storïau eraill

Emma Thomson
Gomer
Siriol Swyn
Cwsg Cythryblus
a storïau eraill

Emma Thomson
Gomer
Siriol Swyn
Ffwdan Ffasiwn
a storïau eraill

Emma Thomson
Gomer
Siriol Swyn
Gwyliau Gwych
a storïau eraill

Emma Thomson
Gomer
Siriol Swyn
Hwyl Hud
a storïau eraill

Emma Thomson
Gomer
Siriol Swyn
Merlod Medrus
a storïau eraill

Emma Thomson
Gomer
Siriol Swyn
Ffrindiau am Byth
a storïau eraill

Gomer

Emma Thomson

Siriol Swyn

Paradwys Pinc

a storïau eraill